# MANUALIDADES
## PARA TODOS

susaeta
ediciones sa

Autora: Manuela Martín
Diseño: Juan Xarrié
Realización: Daniel González
© SUSAETA EDICIONES, S.A.
Campezo, s/n - 28022  Madrid
Tel.: 913 009 100  Fax: 913 009 118
Impreso en la UE

# MANUALIDADES PARA TODOS

### Por Manuela Martín

susaeta

# Índice

# Índice

# Juego de damas

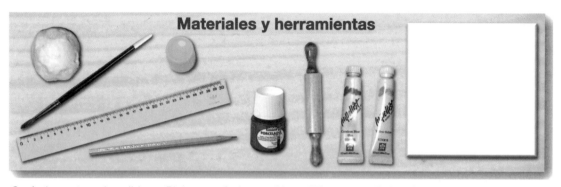

**Materiales y herramientas**

- Cerámica autoendurecible   - Pintura cerámica en frío   - Témpera   - Baldosín blanco

**1.** Hacemos una lámina de cerámica autoendurecible y, con un tapón, troquelamos las fichas.

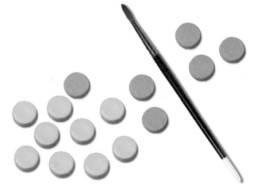

**2.** Cuando estén secas, las pintamos con témpera y las barnizamos.

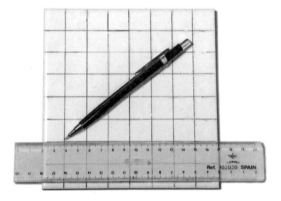

**3.** En un baldosín dibujamos los cuadros (8 por cada lado).

**4.** Pintamos los cuadros negros con pintura para cerámica en frío.

# Caja mosaico

## Materiales y herramientas

- Piedras de colores para acuario   - Cartulina   - Pegamento en barra   - Cola   - Dos cajas de cerillas

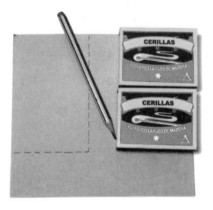

**1.** Marcamos y cortamos dos trozos de cartón del tamaño de dos cajas cada uno.

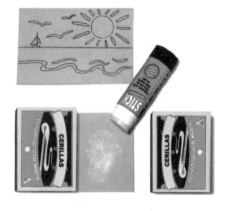

**2.** Pegamos las cajas sobre uno de los cartones, y en el otro hacemos un dibujo.

**3.** Sobre el dibujo pegamos las piedrecitas de colores con cola blanca.

**4.** Pegamos el mosaico sobre las cajas. Podemos añadir unos tiradores de cinta de raso.

# Marco mosaico

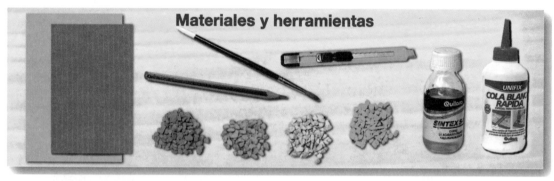

**Materiales y herramientas**

- Cartón ondulado   - Piedrecitas de colores para acuario   - Barniz sintético   - Cola blanca

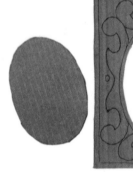

**1.** Dibujamos una cuarta parte de la orla en un papel y la calcamos cuatro veces sobre un cartón.

**2.** Una vez dibujada la orla sobre el cartón, recortamos el óvalo que queda dentro.

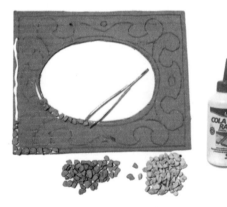

**3.** Con cola blanca pegamos las piedrecitas empezando por los bordes.

**4.** Una vez terminado el mosaico, ya podemos aplicar el barniz.

# Tres en raya

**Materiales y herramientas**

- Cerámica autoendurecible   - Pintura para cerámica en frío   - Témpera   - Baldosín blanco

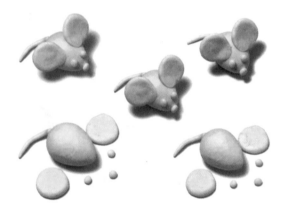

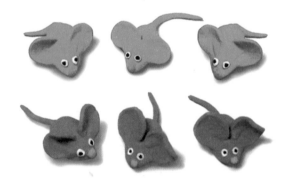

**1.** Modelamos las distintas piezas de los seis ratones y los montamos.

**2.** Pintamos con témpera los ratoncitos y, una vez secos, los barnizamos.

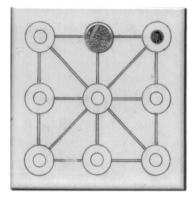

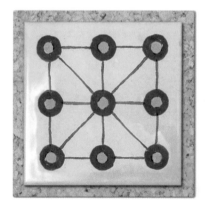

**3.** Sobre un baldosín dibujamos las líneas y, con monedas de distintos tamaños, los círculos.

**4.** Con la pintura cerámica, coloreamos y pegamos el baldosín sobre un corcho.

16

# Máscara

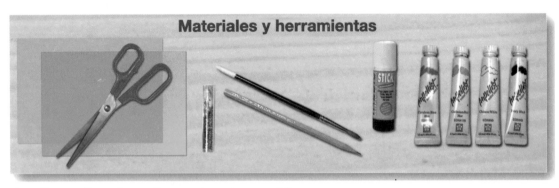

**Materiales y herramientas**

- Cartulinas   - Purpurina   - Pegamento en barra   - Témpera

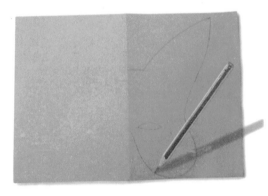

**1.** Doblamos un folio para marcar el centro y dibujamos media máscara.

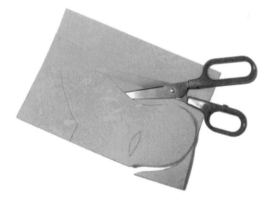

**2.** Recortamos la máscara con el folio doblado para utilizarla de patrón.

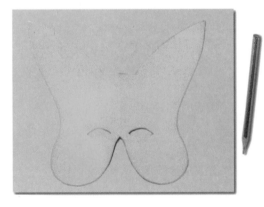

**3.** Sobre una cartulina colocamos el patrón, dibujamos y recortamos.

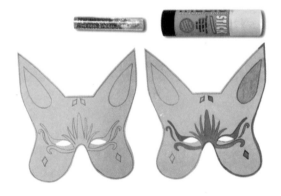

**4.** Dibujamos y pintamos y, con pegamento de barra, ponemos la purpurina.

# Gorro colgador

## Materiales y herramientas

- Cartón ondulado  - Cola celulósica  - Pintura plástica  - Cerámica autoendurecible  - Tuercas y tornillos

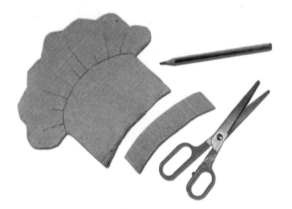

**1.** En el cartón dibujamos y recortamos la forma del gorro y una tira de refuerzo.

**2.** Aplicamos varias capas de papel en la parte de arriba y después en la parte de abajo.

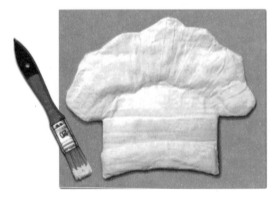

**3.** Le damos varias capas de pintura plástica blanca.

**4.** Después, hacemos unos agujeros para los tornillos, que rematamos con bolas de cerámica autoendurecible.

# Estampación en tela

## Materiales y herramientas

- Trozo de tela   - Cerámica autoendurecible   - Cola de contacto   - Pintura textil   - Gomaespuma

**1.** En una lámina de gomaespuma recortamos varias formas de hojas y flores.

**2.** Con la cerámica autoendurecible hacemos unos asideros y los pegamos a la gomaespuma.

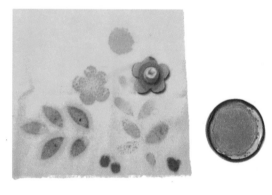

**3.** Sobre un retal hacemos las pruebas con distintos colores de tinta para tela.

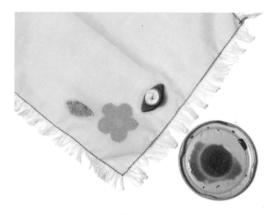

**4.** Una vez elegido el diseño definitivo, procedemos a la estampación final.

# Marco de conchitas

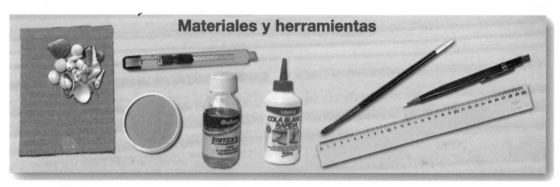

**Materiales y herramientas**

- Cartón ondulado  - Conchitas  - Arena fina  - Barniz sintético  - Cola blanca

**1.** Sobre un cartón se dibuja y se recorta la forma del marco.

**2.** Con cola blanca vamos pegando conchitas empezando por los bordes.

**3.** Damos cola en el resto del marco y espolvoreamos arena fina sobre él.

**4.** Una vez seca la cola, procedemos al barnizado para fijar la arena.

# Bandeja colage

**Materiales y herramientas**

- Bandeja de cartón   - Pintura plástica   - Alkyl   - Papel de seda

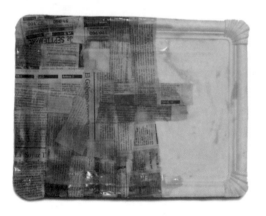

**1.** Cortamos tiras de papel de periódico y las pegamos con alkyl en varias capas.

**2.** Cuando esté totalmente seco, le damos varias capas de pintura plástica blanca.

**3.** Hacemos varios pliegues con papel de seda y cortamos las hojas y los pétalos.

**4.** Damos una capa de alkyl y pegamos los pétalos y las hojas de papel de seda.

# Piedras decoradas

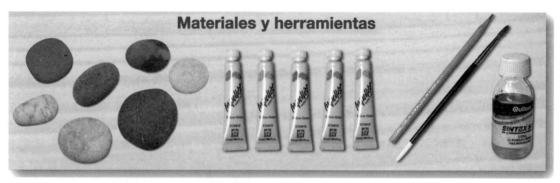

## Materiales y herramientas

- Piedras planas   - Témpera   - Barniz sintético

**1.** Limpiamos bien las piedras con algodón y agua.

**2.** Una vez limpias, dibujamos los motivos, usando un lápiz blanco para las piedras oscuras.

**3.** En las piedras oscuras conviene dar primero una capa de pintura blanca.

**4.** Después las pintamos con témpera y las barnizamos.

# Manzano enmarcado

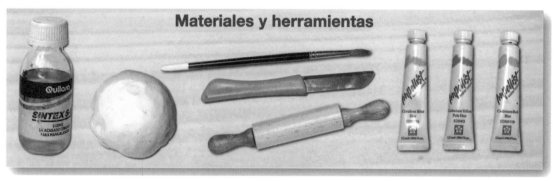

**Materiales y herramientas**

- Barniz sintético   - Pasta de sal (*ver* pág. 122)   - Témpera

**1.** Hacemos una lámina con pasta de sal y recortamos el árbol y las hojas.

**2.** Modelamos las frutas y las hojas y las pegamos sobre el árbol.

**3.** Una vez terminado el árbol y la lunita lo dejamos secar a la sombra en un lugar seco y plano.

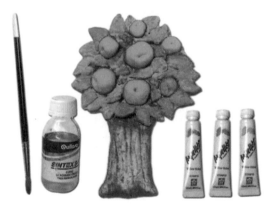

**4.** Cuando esté totalmente seco lo pintamos con témpera y lo barnizamos.

# Abalorios de fimo

## Materiales y herramientas

- Fimo (plastilina para horno)   - Prendedores, clips, broches...

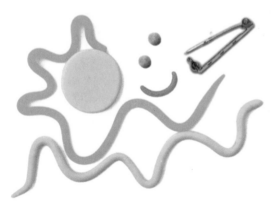

### 1. Broche Sol:
Hacemos el círculo central, al que añadimos las demás piezas.

### 2. Prendedor de pelo:
Hacemos una trenza de tres colores y pegamos el broche.

### 3. Pendientes:
Hacemos las distintas piezas y las vamos pegando según el modelo.

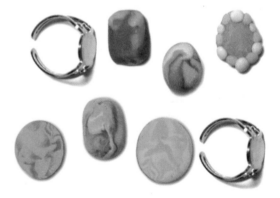

### 4. Anillos:
Mezclando varios colores podemos conseguir un bonito efecto mármol.

# Colgador de llaves

### Materiales y herramientas

- Corcho   - Pintura para porcelana en frío   - Colgadores autoadhesivos   - Cola de contacto   - Baldosín

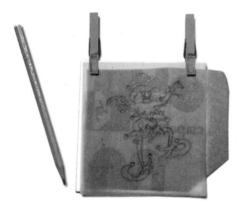

**1.** Con ayuda de papel calco, pasamos el dibujo deseado al baldosín.

**2.** Con pintura para porcelana en frío, rellenamos el dibujo.

**3.** Para pegarlo sobre la loseta de corcho usaremos cola de contacto.

**4.** Hacemos dos agujeros para pasar el cordón y pegamos los colgadores autoadhesivos.

# Colgador de llaves

# Careta

## Materiales y herramientas

- Globo   - Papel de periódico   - Cola celulósica   - Pintura plástica   - Témpera   - Pelo sintético

**1.** Forramos el globo inflado con tiras de papel de periódico mojado en cola celulósica y lo dejamos secar.

**2.** Lo cortamos por la mitad, le recortamos los ojos y la nariz y hacemos aparte una nueva nariz.

**3.** Pegamos la nueva nariz, seguimos pegando papel y, una vez seco, lo pintamos de blanco.

**4.** Una vez decorada con témpera, pegamos los rizos de pelo sintético con cola de contacto.

# Marioneta china

## Materiales y herramientas

- Cola blanca   - Contrachapado   - Segueta   - Alicates   - Témpera   - Dos varillas de madera

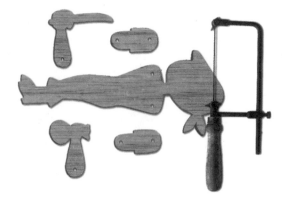

**1.** Sobre un trozo de contrachapado calcamos las distintas partes de la marioneta.

**2.** Recortamos las piezas y hacemos los agujeros de las articulaciones.

**3.** Con alambre hacemos los engarces de las articulaciones, pintamos con témpera y aplicamos barniz.

**4.** En la parte posterior, pegamos una varilla de madera al brazo y otra a lo largo del cuerpo.

# Placa personalizada

**Materiales y herramientas**

- Plastilina para horno (fimo)   - Rodillo   - Cuchillito

**1.** Hacemos una lámina de fimo y recortamos la forma de la base.

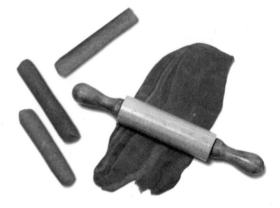

**2.** Mezclamos varios colores para las letras y amasamos con el rodillo para crear textura de madera.

**3.** Una vez mezclado, recortamos las distintas piezas que forman el rótulo elegido.

**4.** Una vez montado el rótulo, lo metemos al horno.
(Ver instrucciones del fabricante)

# Tarjeta en relieve

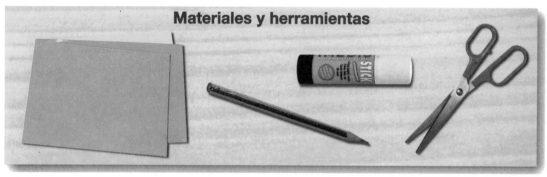

**Materiales y herramientas**

- Cartulina mate   - Papel charol   - Pegamento en barra   - Tijeras

**1.** Doblamos una cartulina tamaño folio en cuatro partes.

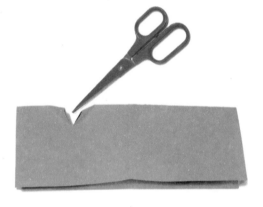

**2.** En el canto de la cartulina doblada hacemos un corte y doblamos los picos.

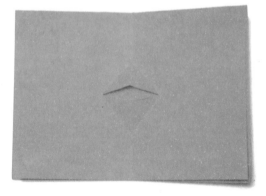

**3.** Doblando la cartulina por la otra mitad, sacamos el doblez hacia afuera.

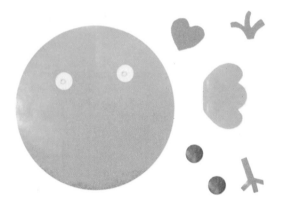

**4.** Recortamos las distintas piezas del pollito con papel charol.

**5.** En el centro del pollito hacemos un corte igual al de la tarjeta y le hacemos coincidir con éste.

**6.** Por último, rematámos el pollito pegándole los ojos y demás detalles.

# Marco modelado

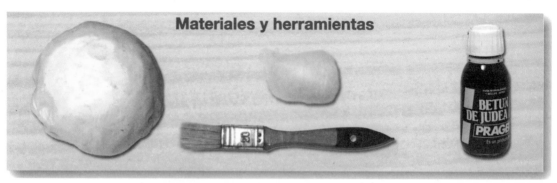

## Materiales y herramientas

- Pasta de sal (*ver* pág. 122)  - Algodón  - Betún de Judea

**1.** Con pasta de sal hacemos una "rosquilla" del tamaño de la foto que vamos a enmarcar.

**2.** Modelamos los adornos florales y los vamos pegando según los hacemos.

**3.** Una vez terminado, lo dejamos secar al aire sobre un sitio plano para que no se deforme.

**4.** Para finalizar lo cubrimos de betún de Judea y pasamos un algodón antes de que se seque.

# Portavelas

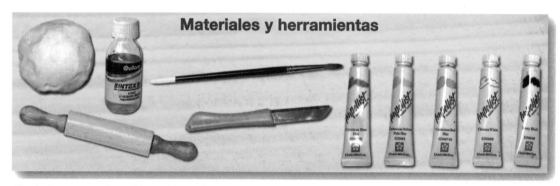

**Materiales y herramientas**

- Cerámica autoendurecible  - Barniz sintético  - Témpera

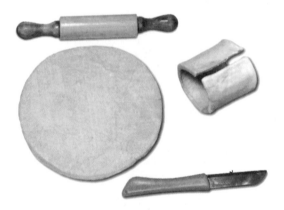

**1.** Hacemos una lámina de cerámica autoendurecible y recortamos las bases y los cuerpos.

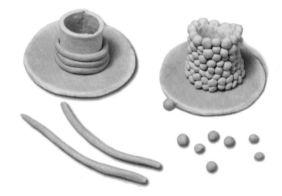

**2.** Pegamos el cuerpo a la base y hacemos bolitas y barritas.

**3.** Decoramos el cuerpo y la base de los portavelas con las bolitas y las barritas.

**4.** Una vez secos, los pintamos con témpera y los barnizamos.

# Imanes

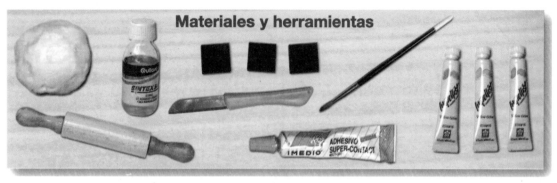

**Materiales y herramientas**

- Cerámica autoendurecible  - Barniz sintético  - Imanes  - Cola de contacto  - Témpera

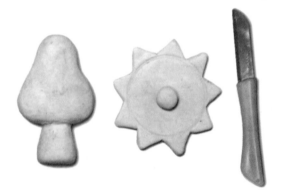

**1.** Con la cerámica autoendurecible modelamos las figuritas.

**2.** Una vez secas, las pintamos con témpera.

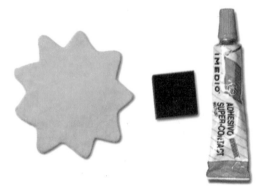

**3.** Por la parte de atrás les pegamos unos imanes planos.

**4.** Por último, procedemos a su acabado con una mano de barniz.

# Inicial de flores secas

**Materiales y herramientas**

- Folios  - Flores secas  - Cartulina rígida  - Lápiz blanco  - Pegamento en barra

**1.** Las flores y hojas secas deben guardarse entre folios.

**2.** Sobre una cartulina dibujamos la inicial elegida.

**3.** Si la cartulina es oscura, debemos pegar flores de tonos claros.

**4.** Entre las flores podemos intercalar hojitas verdes.

# Tarros decorados

**Materiales y herramientas**

- Tarros de cristal   - Tizas de colores   - Tapaderas   - Cartulinas   - Sal

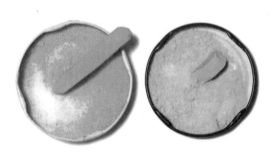

**1.** Rascamos tizas de colores y las mezclamos con abundante sal.

**2.** Hacemos unos cucuruchos de cartulina para facilitar el rellenado.

**3.** Echamos la sal de colores en distintas capas según nuestro gusto.

**4.** Con distintas capas de color podemos conseguir atractivos diseños.

# Collares de pasta

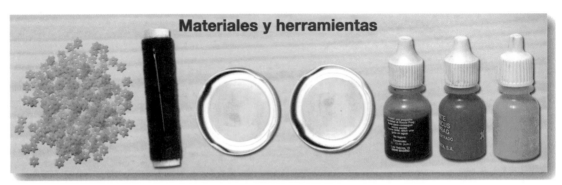

**Materiales y herramientas**

- Sopa de estrellas   - Hilo fuerte   - Tapaderas   - Tintes al agua

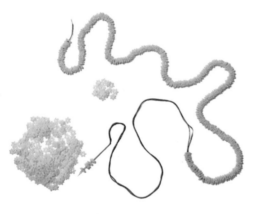

**1.** Ensartamos las estrellitas con una aguja e hilo hasta alcanzar la longitud deseada.

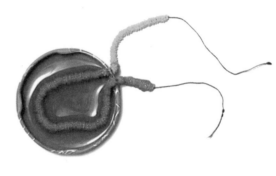

**2.** Dentro de un recipiente ponemos el tinte y bañamos el collar.

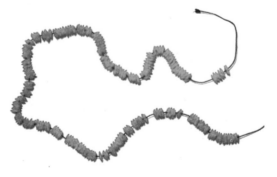

**3.** Cuando dejemos secar el collar, separaremos las estrellitas para que no se peguen.

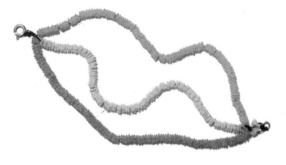

**4.** Una vez seco lo atamos bien. Podemos añadirle un broche.

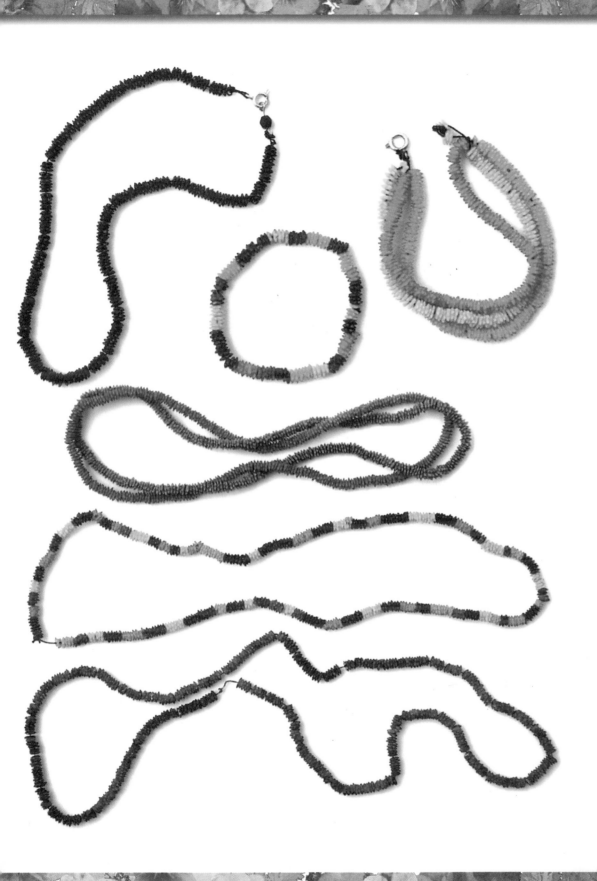

# Estuche baraja

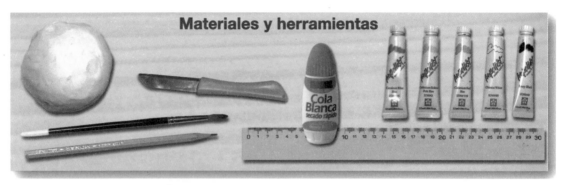

**Materiales y herramientas**

- **C**erámica autoendurecible  - Cola blanca  - Témpera  - Un naipe

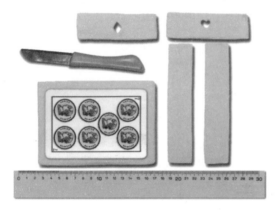

**1.** Hacemos una lámina con la cerámica y cortamos las piezas de la caja a la medida del naipe.

**2.** Las unimos con cola blanca (si alguna sobresale la podemos lijar).

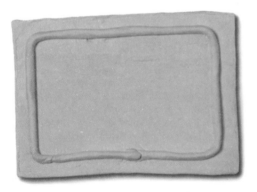

**3.** Hacemos un reborde en la tapa de la caja para que encaje en la base.

**4.** Para decorar la tapa, calcamos una carta, la pintamos con témpera y después la barnizamos.

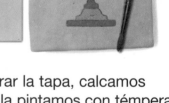

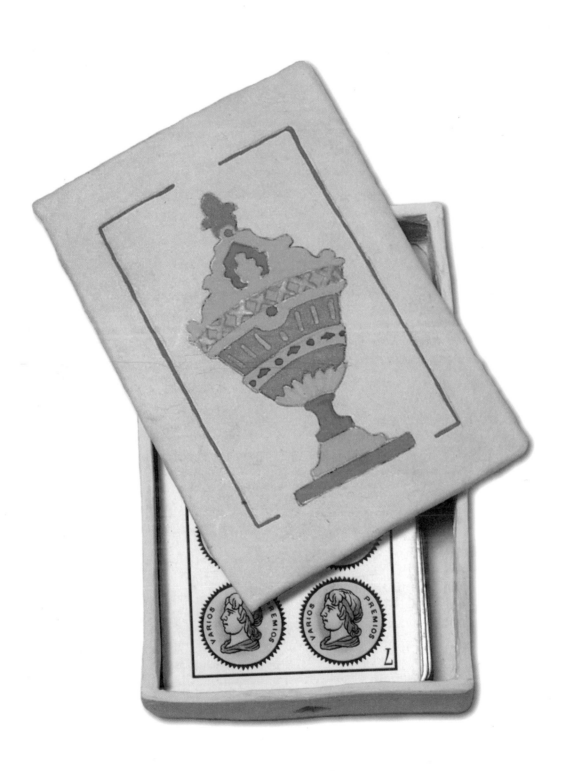

# Casita joyero

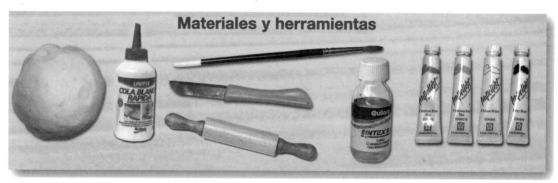

## Materiales y herramientas

- Cerámica autoendurecible   - Cola blanca   - Barniz sintético   - Témpera

**1.** Hacemos una lámina de cerámica y cortamos las piezas, dejándolas secar sobre una superficie plana.

**2.** Pegamos las paredes de la casa con cola blanca.

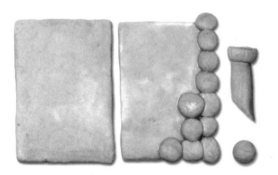

**3.** Humedecemos el tejado y pegamos unas bolitas de cerámica, aplastándolas para hacer las tejas.

**4.** Ponemos los elementos decorativos de la casa y pegamos la chimenea al tejado.

**5.** Dejamos secar el tejado sobre la casa para que coja la forma.

**6.** Una vez secos, pintamos con témpera toda la casita y después barnizamos.

# Ramilletes de flores secas

## Materiales y herramientas

- Cerámica autoendurecible    - Cola blanca    - Flores secas    - Témpera

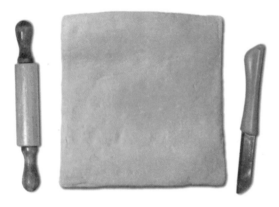

**1.** Hacemos una lámina de cerámica autoendurecible y recortamos un cuadrado.

**2.** Lo enrollamos dándole forma de cucurucho y lo dejamos secar.

**3.** Una vez seco le pintamos con témpera unos motivos florales.

**4.** Metemos en el cucurucho el ramillete elegido y lo pegamos con cola blanca.

# Fruteros

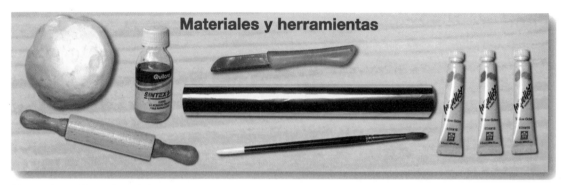

**Materiales y herramientas**

- Pasta de sal (*ver* pág. 122)  - Barniz sintético  - Papel de aluminio  - Témpera

**1.** Con la pasta de sal hacemos un círculo grande de medio centímetro de grosor.

**2.** Ponemos un plato encima y recortamos la parte sobrante.

**3.** Forramos el plato con papel de aluminio y ponemos encima la pasta para que no se pegue.

**4.** Una vez secado al aire, lo decoramos con témpera y lo barnizamos.

# Frutas

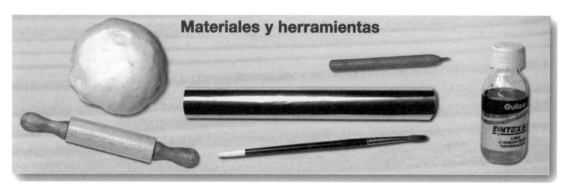

**Materiales y herramientas**

- Pasta de sal (*ver* pág. 122)  - Papel de aluminio  - Barniz  - Punzón

**1.** Modelamos las piezas pequeñas y las pegamos, humedeciéndolas un poco.

**2.** Hacemos las piezas grandes con papel de aluminio y las recubrimos con pasta de sal.

**3.** Hacemos un agujerito con el punzón y colocamos los rabitos de las frutas.

**4.** Dejamos secar al aire durante el tiempo necesario. Después podemos barnizarlas.

# Lámpara emplomada

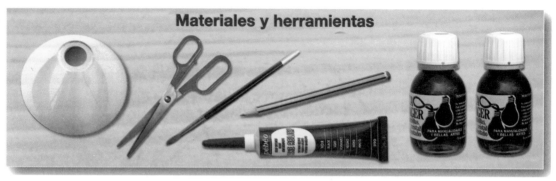

## Materiales y herramientas

- Laca de bombillas   - Emplomadura   - Tulipa de cristal o metacrilato

**1.** Hacemos girar la tulipa sobre un papel dibujando la forma y a continuación recortamos el círculo.

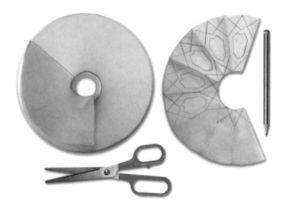

**2.** Metemos el papel en la tulipa y cortamos el sobrante. Doblamos en ocho partes y hacemos el dibujo.

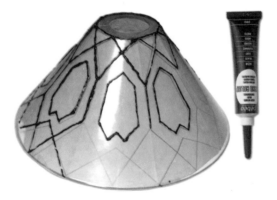

**3.** Una vez hecho el diseño, metemos el patrón por dentro y calcamos las líneas con la emplomadura.

**4.** Una vez hechos los contornos rellenamos los huecos con laca de bombillas de colores.

# Lámpara emplomada

# Decoración con hilo

**Materiales y herramientas**

- Hilos de bordar  - Bolígrafos  - Tijera

**1.** Enrollamos el hilo rojo en el bolígrafo, dejando el cabo por dentro.

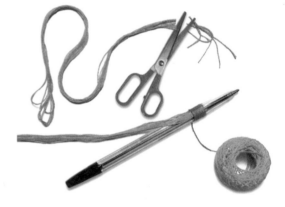

**2.** Cortamos el hilo azul en diez hebras iguales, colocamos bien los cabos y seguimos enrollando el hilo rojo.

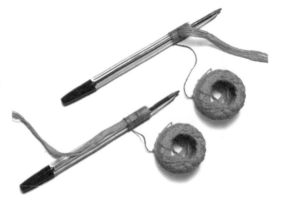

**3.** Para los cuadrados, retiramos los hilos azules, seguimos enrollando, volvemos a bajarlos y continuamos.

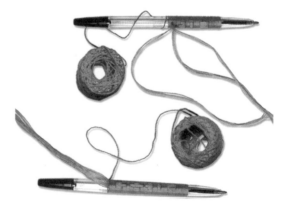

**4.** Levantando alternativamente distintos grupos de cabos azules obtendremos diseños curiosos.

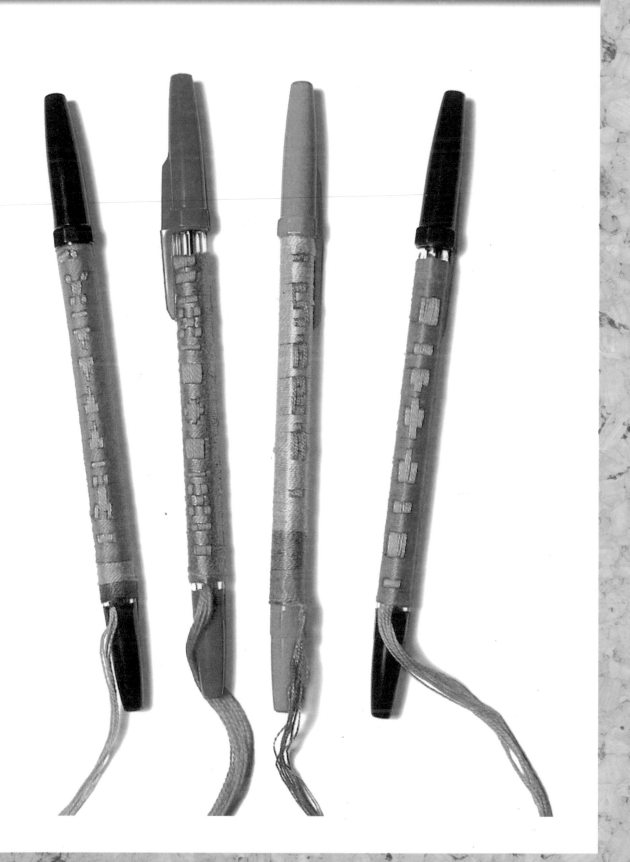

# Títere

## Materiales y herramientas

- Globos - Cola de empapelar - Plastilina - Pintura plástica - Témperas - Papel crespón - Hilo de bordar

**1.** Forramos con tiras de papel encoladas dos globos pequeños y uno grande inflados. Cuando el papel esté seco, desinflamos los globos.

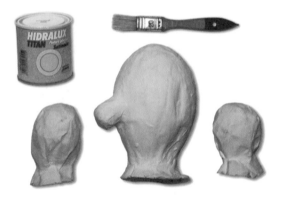

**2.** Añadimos a la cabeza una nariz de plastilina y seguimos pegando capas de papel.

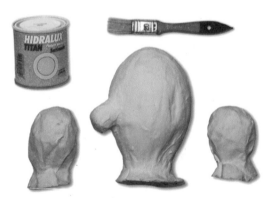

**3.** Una vez seco, le damos dos capas de pintura plástica blanca y una tercera de témpera color carne.

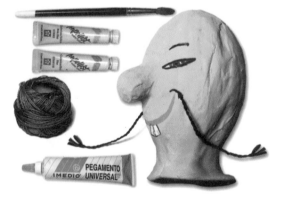

**4.** Pintamos los detalles de la cara con témpera y le pegamos los bigotes y la coleta hechos de hilo.

**5.** Cortamos el traje en papel crespón y fruncimos la parte superior para hacer el cuello.

**6.** Ajustamos el traje al títere y lo aseguramos con unas tiras de papel pegadas por detrás.

# Portavelas de cañas

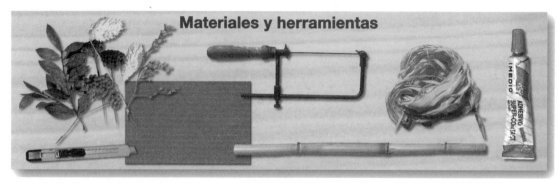

## Materiales y herramientas

- Flores secas  - Cartón  - Cañas  - Segueta  - Rafia  - Cola de contacto

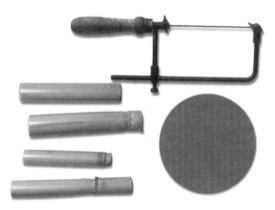

**1.** Cortamos las cañas en trozos de distinto tamaños y un círculo de cartón para la base.

**2.** Pegamos las cañas sobre la base de cartón y hacemos una trenza con tiras de rafia.

**3.** Pasamos la trenza de rafia entre las cañas y alrededor de la base pegándola con cola.

**4.** Hacemos un ramillete de flores secas y lo pegamos, intentando ocultar los remates.

# Collares de fimo

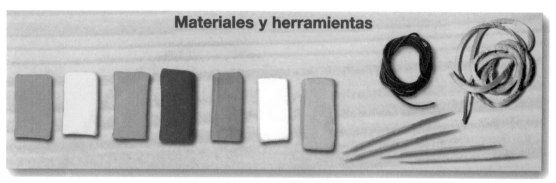

### Materiales y herramientas

- Fimo  - Cordones  - Palillos

**1.** Hacemos varias bolitas con diversos colores y las mezclamos entre sí.

**2.** También podemos hacer una bola grande con varios colores y de ella sacar otras más pequeñas.

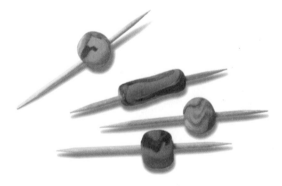

**3.** Hacemos los agujeros de los abalorios con palillos, moviéndolos para que queden holgados.

**4.** Sacamos los palillos y metemos las bolas al horno (siguiendo las indicaciones del fabricante).

# Carpeta decorada

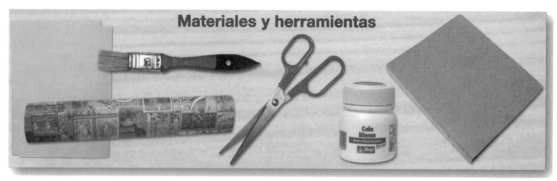

**Materiales y herramientas**

- Papel de color   - Papel de regalo   - Cola blanca   - Carpeta de cartón

**1.** De un papel de regalo recortamos los dibujos que más nos gusten.

**2.** Para pegar los dibujos usamos cola blanca, ligeramente rebajada con un poco de agua.

**3.** Pegamos los recortes intentando que los bordes rebasen dos centímetros aproximadamente.

**4.** Dando la forma adecuada al papel de color, rematamos la carpeta por dentro.

# Colgantes

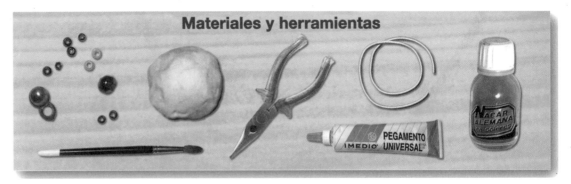

## Materiales y herramientas

- Abalorios  - Cerámica autoendurecible  - Alicates  - Hilo de cobre grueso  - Pegamento  - Pintura de nácar

**1.** Con el hilo de cobre hacemos los soportes de los colgantes, ayudándonos con los alicates.

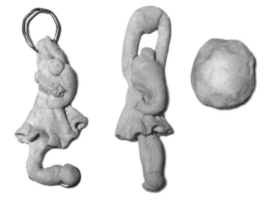

**2.** Sobre los soportes modelamos las figuras con la cerámica autoendurecible.

**3.** Con la cerámica aún fresca insertamos los abalorios y dejamos secar las figuras.

**4.** Una vez secas pintamos las figuras con la pintura de nácar de distintos colores.

# Posavasos

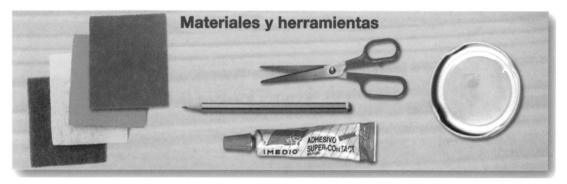

Materiales y herramientas

- Estropajos de colores   - Cola de contacto   - Tapadera grande

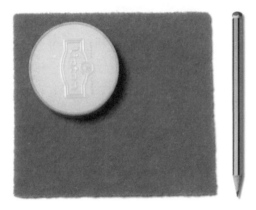

**1.** Con ayuda de una tapadera grande dibujamos los círculos sobre los estropajos.

**2.** Hacemos círculos en varios colores y los recortamos.

**3.** Después dibujamos y recortamos las hojitas, también de colores distintos.

**4.** Pegamos las hojas a los círculos, procurando que no tengan el mismo color.

# Servilletero

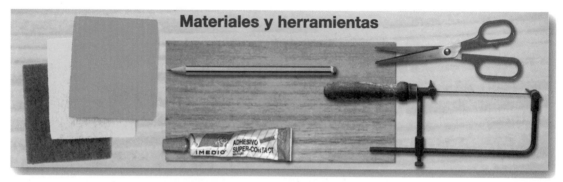

- Estropajos de colores   - Contrachapado   - Cola de contacto   - Segueta

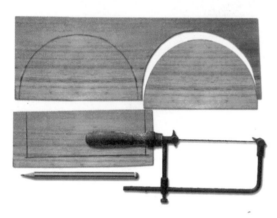

**1.** Cortamos dos semicírculos de 14 cm de diámetro y una base de 14 x 5 cm en contrachapado.

**2.** Recortamos dos semicírculos rojos de estropajo de 12 cm de diámetro y las demás piezas según el modelo.

**3.** Pegamos las piezas sobre el contrachapado, empezando por el semicírculo rojo.

**4.** Pegamos los semicírculos sobre la base. Podemos añadirle pepitas de sandía auténticas.

# Marioneta de palo

**Materiales y herramientas**

- Cartulina  - Papel charol  - Tela  - Fieltro  - Cerámica autoendurecible  - Varilla de madera  - Témpera

**1.** Sacamos un patrón del cono y lo recortamos en cartulina y en charol, y otro en tela para el vestido.

**2.** Hacemos una bola de cerámica y la pinchamos en el palo, cerramos el cono y lo pegamos.

**3.** Una vez seca la bola, pintamos la cara y le pegamos lana a modo de pelo.

**4.** Cosemos los brazos de fieltro, pegamos el vestido al cono con cinta adhesiva y después lo forramos.

# Caja decorada

## Materiales y herramientas

- Caja de madera   - Tarjeta postal   - Pegamento   - Alkyl   - Pinzas   - Semillas y legumbres

**1.** En el centro de la tapa pegamos la tarjeta postal.

**2.** Ribeteamos la postal con una orla de alubias.

**3.** Decoramos una mitad de la caja con motivos geométricos y los repetimos en la otra mitad.

**4.** Barnizamos con alkyl toda la tapa menos la tarjeta postal.

# Cometa

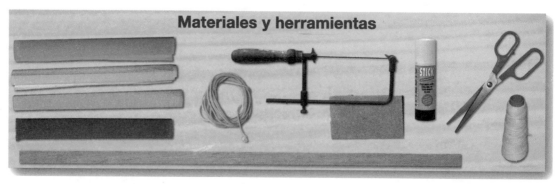

**Materiales y herramientas**

- Papel crespón   - Listón de 100 x 2 cm   - Cordón   - Segueta   - Lija   - Hilo

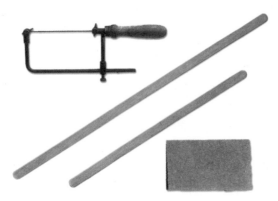

**1.** Cortamos dos listones de 40 y 60 cm, respectivamente, y lijamos las puntas.

**2.** Fijamos los listones en cruz y cortamos el papel, dejando 3 cm de sobrante para doblar.

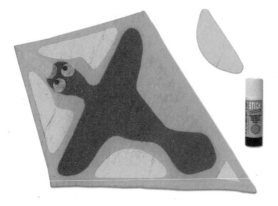

**3.** Doblamos los bordes y decoramos con papel de colores muy bien pegados a la parte principal.

**4.** Cortamos cuatro ángulos y los pegamos a modo de bolsillos. Pegamos también el dobladillo.

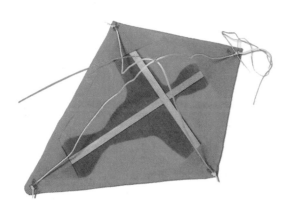

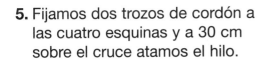

**5.** Fijamos dos trozos de cordón a las cuatro esquinas y a 30 cm sobre el cruce atamos el hilo.

**6.** Hacemos la cola con un cordón de 1,5 m, poniendo un lazo de papel cada 25 cm.

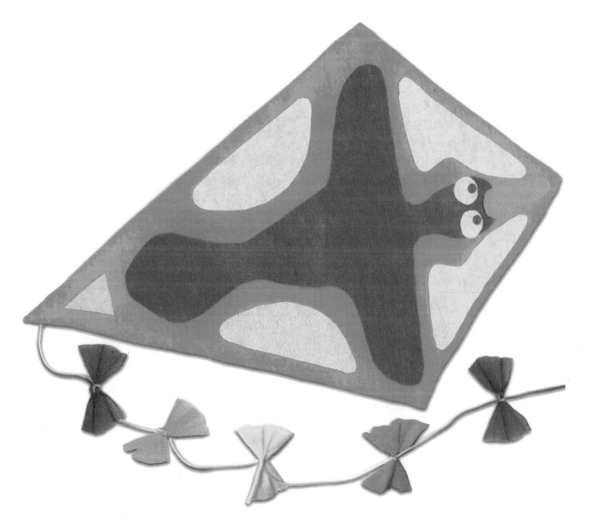

# Portalápices

**Materiales y herramientas**

- Cerámica autoendurecible  - Pintura dorada  - Cola blanca  - Pintura para vidrio  - Tarro de cristal

**1.** Modelamos las partes de las flores y las vamos pegando con cola blanca.

**2.** Hacemos un cordón con la cerámica y lo pegamos al borde del tarro.

**3.** Pintamos la parte interior del tarro con pintura para cristal de color naranja.

**4.** Para finalizar, pintamos con pintura dorada todos los adornos de cerámica autoendurecible.

# Cuadro metalizado

**Materiales y herramientas**

- Madera  - Semillas y palitos  - Talco  - Betún de Judea  - Papel de aluminio  - Pinzas  - Pegamento

**1.** Sobre una madera hacemos un dibujo floral con semillas de distintos tamaños.

**2.** Arrugamos un trozo de papel de aluminio, lo estiramos y lo pegamos sobre las semillas.

**3.** Echamos polvos de talco y restregamos con un algodón para que penetre en los rincones.

**4.** Damos betún de Judea y pasamos un algodón antes de que se seque.

# Pirograbado

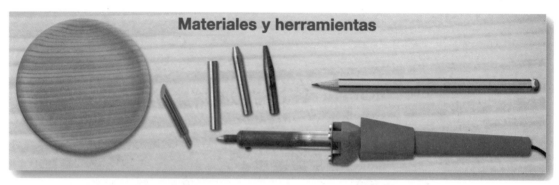

**Materiales y herramientas**

- Plato de madera  - Pirograbador

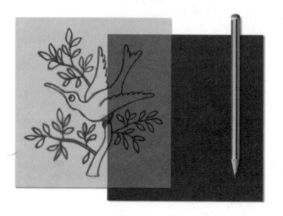

**1.** Dibujamos el motivo elegido en papel vegetal y lo calcamos sobre el plato de madera.

**2.** Repasamos con lápiz el dibujo hasta que quede perfectamente visible.

**3.** Perfilamos el dibujo con la punta fina del pirograbador.

**4.** Con las distintas puntas del pirograbador, rellenamos el dibujo y hacemos la orla.

# Arlequín

**Materiales y herramientas**

- Plumas   - Papel crespón   - Purpurina   - Pintura nácar   - Cerámica autoendurecible   - Cola de contacto

**1.** Modelamos un busto y pintamos la cara con témpera y nácar. Antes de que se seque echamos la purpurina.

**2.** Una vez seco le pegamos las plumas de colores a modo de cabello.

**3.** Envolvemos el busto con papel crespón y lo pegamos por detrás.

**4.** De la misma forma le ponemos otra capa de papel, procurando que quede fruncido.

# Marioneta de hilos

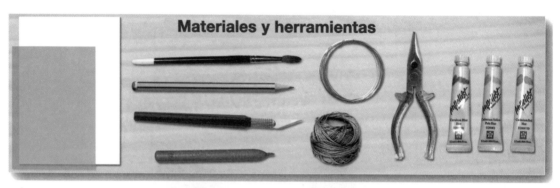

## Materiales y herramientas

- Papel croquis  - Cartón pluma  - Lanceta  - Punzón  - Hilo  - Alambre  - Alicates  - Témpera

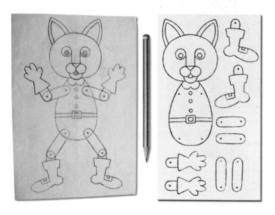

**1.** Dibujamos el gato en papel croquis y calcamos las piezas sobre un cartón pluma.

**2.** Recortamos las piezas y con alambre fabricamos los enganches para las articulaciones.

**3.** Pintamos las piezas con témpera y con el punzón hacemos los taladros para su montaje.

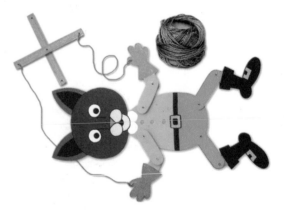

**4.** Al montar, doblamos las puntas de los enganches por detrás; unimos lo hilos a una cruz hecha con listones.

# Joyero dorado

- Cajita de escayola  - Pintura dorada  - Alkyl  - Goma laca  - Talco  - Betún de Judea

**1.** Para empezar le damos a la escayola dos manos de goma laca y dejamos secar.

**2.** Después damos una mano de pintura dorada y cuando esté seca le damos otra mano de alkyl.

**3.** Aplicamos el betún de Judea y lo retiramos con un trapo antes de que se seque.

**4.** Si deseamos recuperar parte del brillo, retocaremos las partes salientes con pintura dorada.

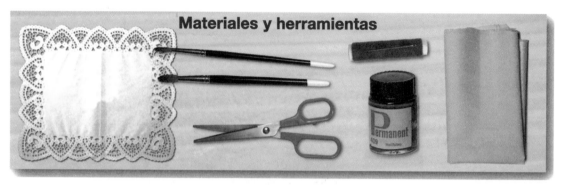

**Materiales y herramientas**

- Mantelito de papel   - Pintura textil   - Carrete de hilo   - Tela

**1.** Planchamos bien el mantel (sin calor) y lo colocamos sobre la tela.

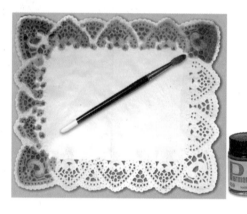

**2.** Usando el mantel de plantilla, rellenamos los huecos del dibujo con pintura.

**3.** Una vez cubierta con pintura la plantilla, pintamos el borde.

**4.** Levantamos la plantilla. Cuando esté seco, recortamos y pespunteamos el dibujo realizado.

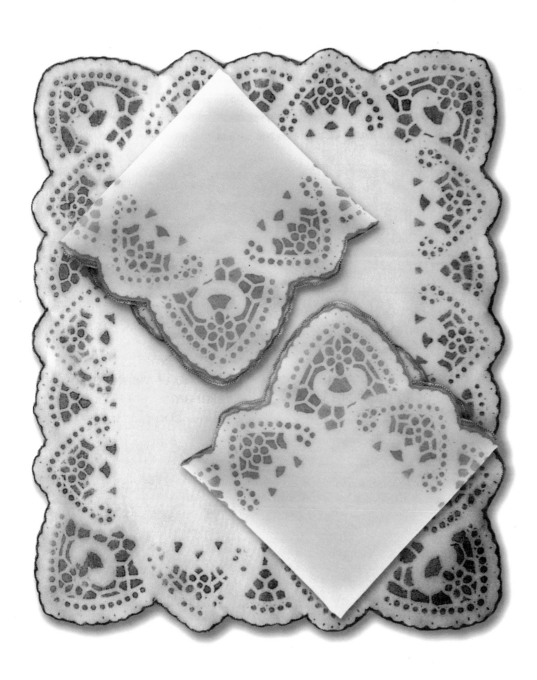

# Llaveros de madera

**Materiales y herramientas**

- Madera blanda  - Papel de lija  - Segueta  - Engarce  - Barniz sintético  - Berbiquí  - Témpera

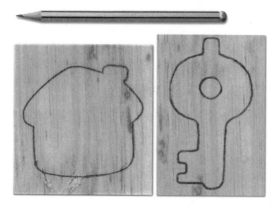

**1.** Dibujamos el motivo sobre una madera blanda de unos 5 mm de grosor.

**2.** Recortamos, hacemos el taladro para pasar la anilla y suavizamos los cantos con papel de lija.

**3.** Los pintamos con témpera según la muestra.

**4.** Una vez secos, los barnizamos y ya sólo queda ponerles el engarce que hayamos elegido.

# Aperitiveros

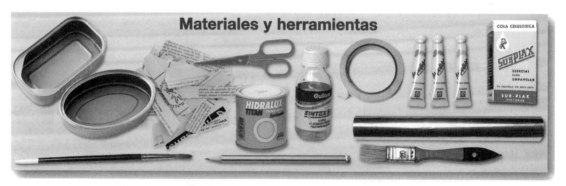

**Materiales y herramientas**

- Latas  - Pintura plástica  - Barniz  - Cinta adhesiva  - Témpera  - Cola celulósica  - Papel de aluminio

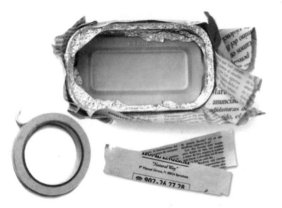

**1.** Forramos la lata con papel de aluminio y después con papel de periódico, sujetándolo con cinta.

**2.** Cuando hayamos pegado varias capas de papel, dejamos que seque y recortamos por arriba.

**3.** Sacamos la lata por la parte superior dejando la forma en papel.

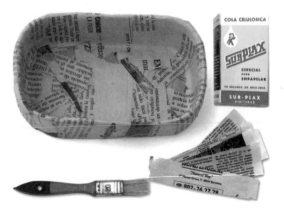

**4.** Continuamos pegando capas de manera regular hasta que quede de un grosor aceptable.

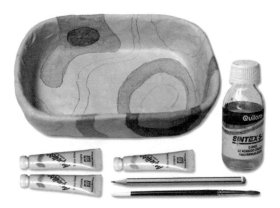

**5.** Aplicamos varias capas de pintura plástica blanca hasta que quede uniforme.

**6.** Por último, perfilamos el diseño elegido y lo coloreamos con témpera.

# Flores de papel

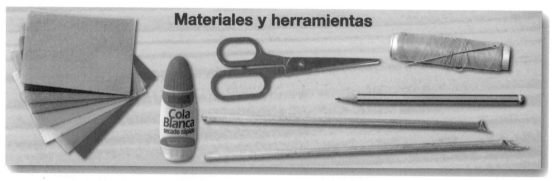

**Materiales y herramientas**

- Papel de seda - Cola blanca - Varillas de madera - Carrete de hilo

**1.** Doblamos un pliego de papel de seda en seis partes iguales, y luego cada una de ellas en diagonal tres veces más.

**2.** Dibujamos el borde de los pétalos y luego recortamos.

**3.** Abrimos los pétalos y los pinchamos uno a uno en una varilla, echando una gota de cola en el centro.

**4.** Cerramos los pétalos y los atamos con un hilo. Forramos el palo y volvemos a abrir los pétalos.

# Cuadro de pasta

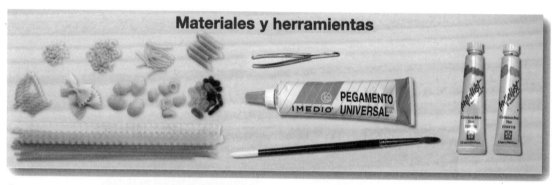

**Materiales y herramientas**

- Pastas variadas  - Pegamento  - Pinzas  - Témpera

**1.** Con lápiz blanco dibujamos suavemente la silueta sobre una cartulina negra.

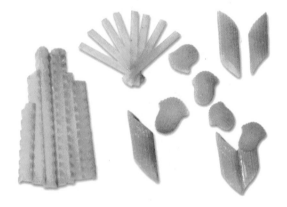

**2.** Algunas partes las podemos realizar por separado.

**3.** Hacemos el fondo del vestido con espirales y los brazos con macarrones.

**4.** Hacemos los adornos del vestido con lacitos y conchitas, y pintamos la cara con témpera.

# Macetero

**Materiales y herramientas**

- Botella de plástico de 2 litros   - Semillas y legumbres   - Alkyl   - Pinzas   - Pegamento   - Papel de lija

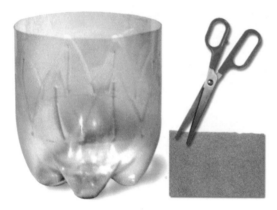

**1.** Recortamos la botella a la altura deseada y lijamos bien el borde hasta dejarlo suave.

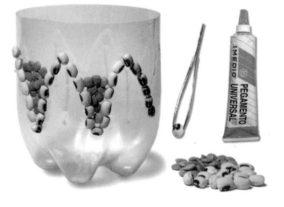

**2.** Pegamos las primeras filas de legumbres siguiendo los dibujos de la botella.

**3.** Continuamos rellenando los huecos, pegando por pequeñas zonas.

**4.** Una vez pegadas las semillas le damos una capa de alkyl.

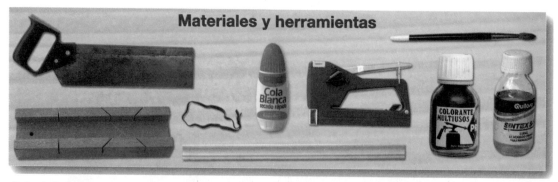

**Materiales y herramientas**

- Caja de ingletes  - Cola blanca  - Goma elástica  - Moldura  - Grapadora  - Tinte  - Barniz sintético

**1.** Con ayuda de una caja de ingletes cortamos los cuatro trozos de la moldura elegida.

**2.** Una vez cortadas las piezas, las pegamos con cola blanca.

**3.** Sujetamos con una goma elástica y unimos las esquinas por detrás con grapas.

**4.** Para finalizar, lo pintamos del color deseado y lo barnizamos.

# Escayola policromada

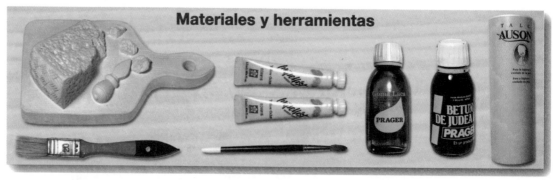

## Materiales y herramientas

- Pieza de escayola  - Témpera  - Goma laca  - Betún de Judea  - Polvos de talco

**1.** Le damos dos capas de goma laca a la pieza de escayola y la dejamos secar.

**2.** Pintamos con témpera los motivos de la pieza de escayola exagerando los colores.

**3.** Aplicamos el betún de Judea y lo retiramos con un trapo antes de que se seque.

**4.** Una vez seco, echamos polvos de talco y frotamos bien con un trapo.

# Decoración con lana

**Materiales y herramientas**

- Tarro de vidrio o plástico    - Lana de colores    - Cola blanca

**1.** Enrollamos la lana en espiral, echamos cola en el tarro y pegamos la lana, presionando suavemente.

**2.** Hacemos varias espirales de distintos colores y seguimos pegando como en el modelo.

**3.** Para hacer la base, volcamos el tarro y enrollamos la lana, usando distintos colores.

**4.** Ponemos el tarro boca arriba y continuamos enrollando la lana de colores.

# Cuadro de telas

**Materiales y herramientas**

- Madera   - Alfileres   - Alkyl   - Retales de tela

**1.** Cortamos una lámina de madera y, en una hoja de papel más pequeña, hacemos el dibujo.

**2.** Utilizando el papel como patrón, prendemos con un alfiler las piezas en la tela y las recortamos.

**3.** Damos el akyl en la madera y colocamos las piezas, dejando una ligera separación entre ellas.

**4.** A las piezas que van sobrepuestas en la tela, les daremos el alkyl por detrás.

# La pasta de sal

**Materiales y herramientas**

- Sal común    - Glicerina    - Harina de Trigo    - Tintes acrílicos

**1.** Las proporciones son: 2 tazas de harina, 1 de sal, 3/4 de agua y una cucharada sopera de glicerina.

**2.** Mezclamos bien y amasamos presionando con los dedos, hasta obtener una masa suave y elástica.

**3.** Para colorear, cogemos una porción, le echamos unas gotas de tinte y lo mezclamos bien.

**4.** Por último, dejamos secar la pieza al aire y sobre una superficie plana para que no se deforme.